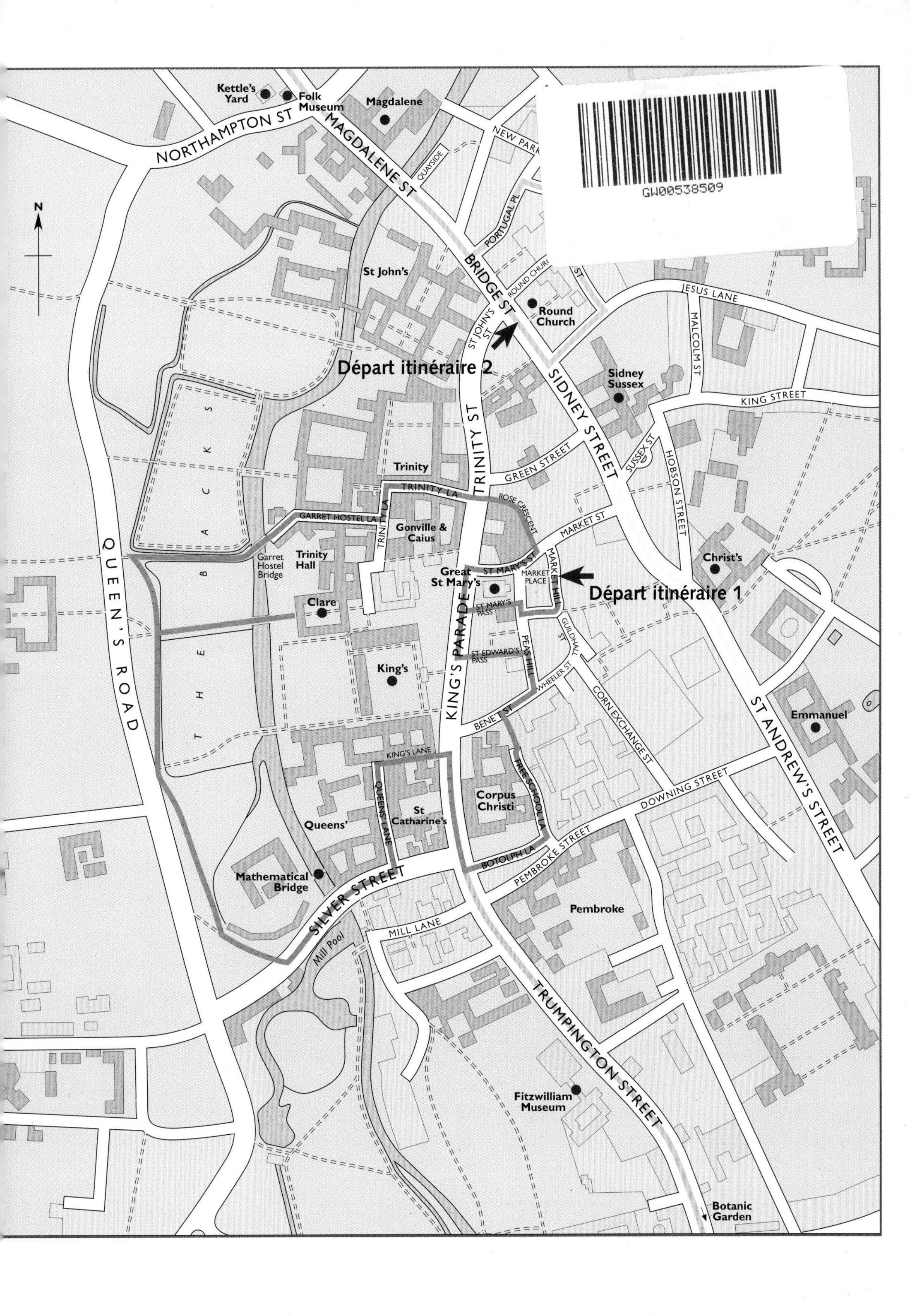

GW00538509
N
Kettle's Yard
Folk Museum
Magdalene
NORTHAMPTON ST
MAGDALENE ST
QUAYSIDE
NEW PARK
PORTUGAL PL
St John's
BRIDGE ST
ROUND CHURCH
Round Church
ST JOHN'S ST
Départ itinéraire 2
JESUS LANE
MALCOLM ST
SIDNEY STREET
Sidney Sussex
KING STREET
TRINITY ST
THE BACKS
SUSSEX ST
HOBSON STREET
GREEN STREET
Trinity
TRINITY LA
ROSE CRESCENT
GARRET HOSTEL LA
Gonville & Caius
MARKET ST
Garret Hostel Bridge
Trinity Hall
Great St Mary's
ST MARY'S ST
MARKET PLACE
MARKET HILL
Départ itinéraire 1
Christ's
QUEEN'S ROAD
Clare
ST MARY'S PASS
GUILDHALL ST
ST EDWARD'S PASS
PEAS HILL
King's
KING'S PARADE
WHEELER ST
CORN EXCHANGE ST
ST ANDREW'S STREET
Emmanuel
BENE'T ST
KING'S LANE
FREE SCHOOL LA
DOWNING STREET
Corpus Christi
QUEENS' LANE
St Catharine's
Queens'
BOTOLPH LA
PEMBROKE STREET
Mathematical Bridge
SILVER STREET
Pembroke
MILL LANE
Mill Pool
TRUMPINGTON STREET
Fitzwilliam Museum
Botanic Garden

Bienvenue à Cambridge

Malgré sa beauté historique, Cambridge est une ville d'innovation. En visitant les collèges et en admirant les vues sur la Cam, songez que certaines découvertes faites ici ont changé pour toujours notre mode de vie. Isaac Newton révolutionna les sciences, tandis que la théorie de la sélection naturelle de Charles Darwin anéantit des siècles de croyance. Charles Babbage ouvrit la voie à l'informatique, Frank Whittle mit au point le moteur à réaction et Ernest Rutherford et son équipe furent les premiers à fissionner l'atome. Vous verrez où vécurent et travaillèrent ces grands scientifiques en visitant les merveilleux collèges à l'architecture inégalée. Vous trouverez également d'excellents magasins, musées, cafés et restaurants. Vous pourrez faire de la barque et parcourir les rues piétonnières où l'ancien et le moderne se côtoient harmonieusement.

Promenade en barque le long des Backs

Aperçu historique

Les Romains, envahisseurs indomptables, s'établirent ici et bâtirent un fort pour défendre la croisée de la route menant à Colchester et des voies principales vers le nord et l'ouest. Après leur implantation, sur l'actuel Castle Hill, une petite ville se développa. Vinrent ensuite les Saxons, qui s'installèrent au sud de la rivière, près de Market Hill et baptisèrent leur village Grantabrycge. Ils construisirent un pont sur la rivière Granta, ancien nom de la Cam, et établirent un port florissant. Ce quartier, le long de Magdalene Bridge, s'appelle toujours « Quayside », mais les seuls bateaux à y amarrer sont des *punts*.

En 1068, les Normands avaient fortifié Castle Hill pour défendre la ville contre Hereward the Wake, rebelle établi tout près, à Ely. Selon les documents de l'époque, la ville portait le nom de Cantebrigge, qui devint Cambridge. Ayant supposé que cela signifiait « Pont sur la Cam », on rebaptisa dûment la rivière.

Sans les émeutes qui secouèrent la ville universitaire d'Oxford, l'histoire de Cambridge aurait peut-être été totalement différente. Des étudiants, fuyant le carnage, arrivèrent ici en 1209. Le premier collège, Peterhouse, fut fondé en 1284. Suivirent ensuite Clare, Pembroke et Gonville. La ville connut des changements considérables durant la période Tudor, avec l'établissement de nombreux nouveaux collèges. Comme à Oxford, les privilèges octroyés à l'université furent source d'affrontements entre les étudiants et les gens de la ville. Ce n'est qu'après l'abolition de la plupart d'entre eux, au début du XIXe siècle, que la situation s'arrangea.

L'arrivée du chemin de fer en 1845 favorisa l'essor de la ville. Cambridge, jouissant d'une réputation grandissante d'excellence scientifique, obtint le statut de « Cité » en 1951. Des centaines d'entreprises scientifiques s'y sont implantées et le Parc scientifique de Cambridge, qui est étroitement lié à l'université, est l'un des plus grands d'Europe.

Le Marché

La place du marché est située au centre du principal quartier commerçant. Au sud se trouve Lion Yard, galerie marchande moderne, Sidney Street et St Andrew's Street abritant des magasins à succursales multiples. Des boutiques indépendantes se trouvent dans les petites rues et passages comme Rose Crescent, Green Street, St Mary's Passage et Bene't Street. Malgré leur nom, les rues de Market Hill et Peas Hill (hill = colline) sont tout aussi plates que le reste du centre-ville. À l'époque des Saxons, qui s'établirent ici il y a 1 500 ans, les habitations s'élevaient au-dessus des marécages environnants.

Les étals

Sur ce marché, qui a lieu six jours par semaine, on trouve pratiquement de tout : aussi bien des fruits et légumes qu'une robe de soirée d'époque. Le dimanche s'y installent d'autres étals : produits fermiers, antiquités, objets d'art et d'artisanat. Ce quartier de Cambridge est resté le cœur de la ville depuis le départ des Romains vers l'an 400. C'est là que se dressaient la maison médiévale des corporations, la prison et le pilori. L'hôtel de ville fut construit en 1937.

La place du marché

L'église St Mary the Great

Affectueusement surnommé Great St Mary's, cet édifice de style gothique tardif qui domine la place du marché, est considéré comme l'église principale de la ville et de l'université. Avant la construction du Senate House au XVIIIe siècle, les cérémonies universitaires se tenaient à Great St Mary's. Aujourd'hui, on y prêche un sermon universitaire deux fois par trimestre. L'église est dotée d'un carillon de 12 cloches et d'un clocher auquel on accède par 123 marches. En face de Great St Mary's, de l'autre côté de St Mary's Street, se trouve une librairie appartenant à Cambridge University Press. Ce bâtiment occuperait l'emplacement de la première librairie de Grande-Bretagne, ouverte en 1581.

L'église St Mary the Great

Rose Crescent

Le bâtiment situé à l'angle de Rose Crescent et de Market Hill abritait jadis un débit de tabac célèbre, Bacon's. Sur une plaque murale sont inscrits des vers, « Ode au tabac », du Charles Stuart Calverley, étudiant à Christ's College au milieu du XIXe siècle.

La plaque de Rose Crescent

Point central

À droite de la porte ouest de St Mary the Great, vous remarquerez un cercle taillé dans la pierre. Ce point de référence, qui date de 1732, marque le centre de la ville. Toutes les distances de Cambridge à d'autres villes sont mesurées à partir de ce point.

La Grande cour de Trinity College

Trinity Street

Cette rue étroite est bordée d'anciens bâtiments élancés, dont plusieurs abritent des magasins très chic. Trinity Street, qui débouche sur la magnifique King's Parade, mène à certains des plus beaux collèges de Cambridge.

Trinity Street

Gonville and Caius College

Ce collège, fondé initialement en 1348, compte trois portes marquant les étapes du parcours de l'étudiant. À l'entrée se trouve la porte de l'Humilité, tandis que la porte de la Vertu (ou Sagesse) mène au réfectoire. La porte de l'Honneur, avec ses six cadrans solaires, marque la dernière étape ; elle est ouverte lors de la remise des diplômes. Le collège est souvent appelé « Caius » (prononcé « Kise »), qui est la version latinisée du nom du physicien John Kees, qui le refonda en 1557.

Course contre l'horloge

C'est dans la Grande cour de Trinity que se déroule la célèbre course dans le film *Chariots de feu*. En 1927, David Burghley réussit à en faire le tour en courant avant que l'horloge ait fini de sonner deux fois les douze coups de midi. Pendant 80 ans Lord Burghley détint ce record, qui fut égalé par Sam Dobin en octobre 2007.

La porte de l'Honneur, Gonville and Caius

Michaelhouse Centre

Cette église, aujourd'hui transformée en café, espace d'exposition et centre pédagogique, était jadis la chapelle de Michaelhouse, collège qui fut amalgamé avec King's Hall en1546 pour former Trinity College. Les gens de la ville aiment s'y retrouver pour prendre un café. Les toilettes pour femmes sont ornées d'une peinture murale, tandis que dans celles des hommes se trouve une pierre tombale.

Trinity College

Les aspirants au prix Nobel devraient obtenir une place au collège de la Sainte et Indivisible Trinité, qui a produit 31 lauréats de ce prix convoité. Le plus grand des collèges d'Oxford et Cambridge, Trinity fut fondé par Henri VIII. Sa statue, qui orne la Grande porte, tient à la main le pied de chaise que des étudiants substituèrent à son sceptre il y a plus de 100 ans. Isaac Newton, le plus célèbre des fils de Trinity, calcula la vitesse du son dans Nevile Court. La merveilleuse bibliothèque Wren, avec ses collections inestimables de manuscrits, est ouverte au public quelques heures presque tous les jours.

All Saints Passage

L'église qui donna son nom à ce passage fut démolie il y plus de 100 ans, mais le cimetière, où ont lieu régulièrement des expositions-ventes d'artisanat, existe encore.

St John's College

St John's College

Admirez sa magnifique porte, avec ses centicores dorés – animaux mythiques – qui soutiennent le blason de la fondatrice Lady Margaret Beaufort, mère d'Henri VII. Une succession de belles cours vous mène au Kitchen Bridge, d'où vous pourrez observer les canoteurs. Le célèbre « Pont des soupirs » néo-gothique franchit aussi la rivière ici. C'est St John's College qui disputa la première course d'aviron entre Oxford et Cambridge, en 1829.

Les Backs

C'est au printemps que les Backs, bande de terrain qui sépare les six collèges en bordure de la rivière de Queen's Road, sont les plus spectaculaires. Ces espaces verts dans lesquels on voit parfois paître des vaches, à certains endroits traversés par des allées ombragées, à d'autres découverts, s'égaient alors de jonquilles, d'aconits, d'anémones et de jacinthes des bois. Chaque collège est propriétaire de la portion de terrain qui lui est adjacente.

Le Garret Hostel Bridge

Garret Hostel Bridge

Trinity Lane, ruelle étroite dominée par les bâtiments élancés de Caius College sur la gauche et de Trinity sur la droite, s'élargit à l'approche de Garret Hostel Lane. Méfiez-vous des cyclistes qui arrivent sans bruit ! On peut louer des *punts* près. Au-delà de Trinity College, vous apercevrez St John's College. Trinity Hall et Clare College se trouvent sur la gauche, et King's juste derrière.

Trinity Hall

Trinity Hall fut fondé en 1350 par William Bateman, évêque de Norwich, qui s'alarmait des ravages de la peste parmi les pasteurs et les avocats. Trinity Hall conserve encore sa réputation de collège de juristes. Sa chapelle, la plus petite de Cambridge, arbore le blason de Stephen Gardiner, deux fois *Master* (Principal) du collège, évêque de Winchester et homme d'État influent du XVIe siècle.

Avancez doucement

Contrairement à la légende, le « Pont mathématique », qui relie des bâtiments de part et d'autre de la rivière, n'a jamais été construit sans vis ni boulons. Il paraît néanmoins plutôt branlant.

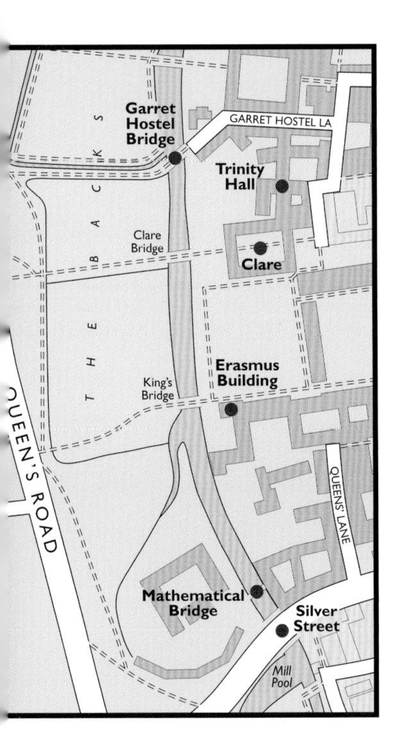

Clare College

L'accès à Clare par une avenue conduisant au plus ancien pont de la ville offre une vue délectable. Si le Fellows' Garden est ouvert, admirez les doubles plate bandes de plantes herbaceés bleues et jaunes, le bassin en contrebas, les vieux murs en briques et le vieil arbre de Judée. Clare, fondé en 1326, est le plus vieux collège de Cambridge après Peterhouse. En proie à des difficultés financières au début, il fut refondé en 1338 par Lady Elizabeth de Clare, qui le dota de ressources importantes. Le blason de Clare, avec son crêpe noir orné de larmes, reflète la vie sentimentale éprouvée de Lady Elizabeth, qui fut veuve trois fois avant l'âge de 28 ans.

Fellows' Garden, Clare

Le bâtiment Erasmus et Silver Street

En continuant le long des Backs, vous pourrez admirer la célèbre vue de la chapelle de King's College et vous interroger sur les lignes austères du bâtiment Erasmus, édifice moderne dessiné par Sir Basil Spence en 1960 et situé à la limite riveraine de Queens' College (voir page 10). Dans Silver Street, vous verrez le fameux Pont mathématique et, de l'autre côté de la rue, Mill Pond, d'où de nombreux touristes, ayant loué une *punt*, partent explorer la Cam.

Le blason de Clare

Clare College et la chapelle de King's College

Queens' Lane

La position de l'apostrophe dans le nom de cette ruelle et du collège auquel elle mène est correcte. En effet, deux reines, Marguerite d'Anjou, épouse d'Henri VI, et Élisabeth Woodville, l'épouse d'Édouard IV et la mère des princes assassinés à la Tour de Londres, contribuèrent à la fondation de Queens' College. La ruelle est entourée de collèges : Queens' à gauche, St Catharine's à droite et King's College tout droit.

Queens' College

Ici, l'ancien et le moderne se côtoient, le bâtiment Erasmus, austère édifice du XXe siècle (voir page 9) et Cripps Court, en béton blanc, contrastant avec Old Court qui abrite la chapelle, la bibliothèque et le réfectoire. Vous y verrez l'un des rares cadrans solaires et lunaires du XVIIIe siècle au monde. La tour Erasmus dans Pump Court rend hommage au philosophe néerlandais qui enseigna le grec au collège au début du XVIe siècle. Il se plaignit du temps et du vin, mais les femmes lui auraient plu.

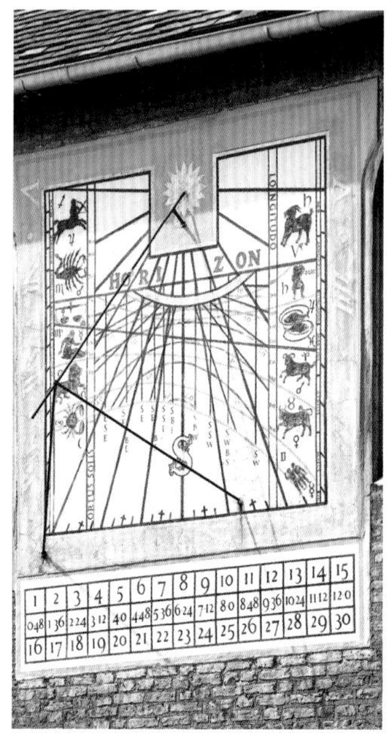

Cadran solaire et lunaire, Queens'

St Catharine's College

La roue figurant sur la porte est l'emblème de Catherine, sainte du IIIe siècle qui échappa à la crucifixion lorsque la roue de son supplice se brisa devant elle, pour être plus tard décapitée pour sa foi. William Wotton, le plus jeune étudiant de Cambridge, y commença ses études à l'âge de neuf ans en 1675. John Addenbrooke, fondateur du célèbre hôpital du même nom et ancien étudiant, est enterré dans la chapelle.

La porte de St Catharine's

Fitzwilliam Museum

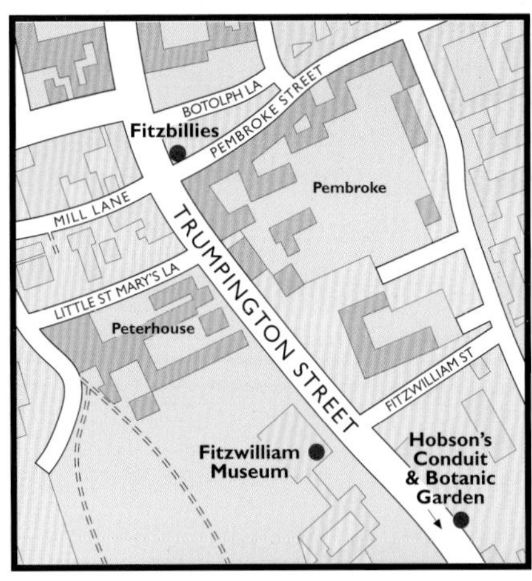

Dans Trumpington Street vous découvrirez l'un des plus beaux musées du monde, le Fitzwilliam. Vous remarquerez, en vous y rendant, la façade art déco de la boulangerie ingénieusement nommée Fitzbillies. Dix ou quinze minutes plus loin à pied, ou à une courte distance en bus, vous trouverez les jardins botaniques de l'université, qui s'étendent sur 16 hectares.

Fitzbillies
Célèbre pour ses « Chelsea buns » (sorte de pains aux raisins), qu'il envoie aux quatre coins du monde, ce café-boulangerie est devenu une véritable institution.

Fitzbillies

Fitzwilliam Museum
La cour aménagée par le musée offre aux visiteurs un cadre agréable et a augmenté la surface consacrée à l'exposition de sa merveilleuse collection de peintures, de dessins et d'estampes. Vous y découvrirez aussi d'autres collections : sculptures, argenterie, textiles, verre et objets d'art antiques. Et ne manquez pas d'admirer l'extérieur !

Hobson's Conduit
Jadis installée sur la place du marché, cette fontaine approvisionna la ville en eau potable pendant 250 ans. C'était un don d'un homme d'affaires et philanthrope local, Thomas Hobson, qui paya pour acheminer l'eau depuis des sources situées à Great Shelford.

Botanic Garden
C'est à J.S. Henslow, professeur qui inspira Charles Darwin, que l'on doit ces jardins splendides. Ils renferment des collections inégalées de végétaux ainsi que de magnifiques bordures de plantes herbacées et un labyrinthe original.

Oups !

En 2006, trois vases rares en porcelaine de la dynastie Qing se fracassèrent en plus de 400 morceaux lorsqu'un visiteur, ayant trébuché, dégringola dans l'escalier du Fitzwilliam. Les vases étaient exposés sur un rebord de fenêtre. Ils sont maintenant réparés.

Le Fitzwilliam Museum

Trumpington Street

Cette rue animée, qui porterait le nom d'une ferme disparue depuis longtemps, permet d'accéder à certains des collèges les plus anciens de Cambridge. St Botolph's, église paisible entourée d'un charmant jardin, marque la limite sud du centre historique de la ville.

St Catharine's
Corpus Christi
St Botolph's Church
Pembroke
Peterhouse
QUEENS' LA
FREE SCHOOL LA
SILVER ST
BOTOLPH LA
PEMBROKE ST
TRUMPINGTON STREET
MILL LANE
LITTLE ST MARY'S LA
FITZWILLIAM ST

Peterhouse

Bien qu'il s'agisse du plus ancien collège (fondé en 1284), seul le réfectoire est d'origine. En grande partie restauré, il renferme des vitraux préraphaélites de William Morris, Edward Burne-Jones et Ford Madox Brown, ainsi que d'autres éléments décoratifs. Le plafond de la chapelle, qui fut construite en 1628 quand Mathew Wren (oncle de Christopher) était *Master*, est orné de soleils dorés. Bien des angelots décoratifs et des vitraux furent détruits par les Têtes rondes en 1634, mais le vitrail est, qui avait été caché, est d'origine. Bien longtemps après, Peterhouse, qui fut le premier collège à faire installer l'électricité, causa un scandale quand le linge étendu tout près par des lavandières fut noirci par les émanations du groupe électrogène.

Peterhouse

La chapelle, Pembroke

Pembroke College

Mathew Wren, évêque d'Ely, chapelain du roi Charles Ier et royaliste ardent, était membre du conseil d'administration (*Fellow*) de Pembroke College. Il fut emprisonné 18 ans à la Tour de Londres par Cromwell. Lors de sa libération, il demanda à son neveu, Christopher, de construire une chapelle dans son ancien collège. Premier ouvrage du jeune architecte, elle fut consacrée en 1665. Devant la bibliothèque vous verrez une statue de William Pitt le Jeune, qui n'avait que 14 ans lorsqu'il entra à Pembroke en 1773. Devenu Premier ministre à 24 ans, il introduisit l'impôt sur le revenu comme mesure provisoire.

Pitt le Jeune, Pembroke

L'église St Botolph's

Cette église claire et spacieuse, où l'on venait prier pour que son voyage se passe bien avant de quitter la ville, respire la tranquillité. Les quatre cloches, fondues en 1420, n'ont pas changé et les fonts baptismaux médiévaux sont coiffés d'un couvercle rare du XVIIe siècle, en bois.

Corpus Christi College

C'est le seul collège de Cambridge à avoir été fondé par des gens de la ville. Au XIVe siècle, les membres des guildes de la Fête-Dieu et de la Sainte Vierge Marie, voulant que quelqu'un prie pour eux, fondèrent le collège afin que les étudiants puissent s'y instruire et prier à perpétuité pour les âmes de leurs membres. La collection inestimable de livres comprend le psautier de Thomas Becket et un exemplaire de la *Chronique anglo-saxonne* ayant appartenu au roi Alfred. C'est grâce à Matthew Parker, archevêque de Canterbury et *Master* de 1544 à 1553, que ces livres n'ont pas été détruits lors de la dissolution des monastères sous Henri VIII.

Corpus Christi College

Bien caché

Durant la Guerre civile, la plupart des collèges remirent leur argenterie au roi ou au parlement, mais Corpus confia la sienne à ses *Fellows* – à qui l'on accorda ensuite un congé exceptionnel, leur ordonnant d'emmener l'argenterie. Pour cette raison, Corpus Christi possède la plus belle collection d'argenterie de la ville datant d'avant la Réforme.

Musées de l'université

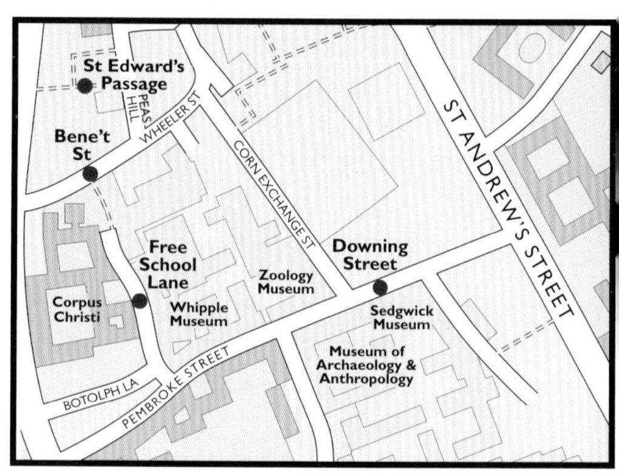

Bon nombre des musées de l'université, qui servent de moyens d'enseignement, sont regroupés autour de Downing Street et ouverts au public. Ils sont tous gratuits, mais il est conseillé d'en vérifier les heures d'ouverture – les numéros de téléphone sont indiqués à la page 30.

Downing Street

Cette rue et le collège voisin portent le nom de Sir George Downing, dont le grand-père construisit la résidence du Premier Ministre à Downing Street, à Londres. Lorsque le collège fut enfin fondé en 1800, après des décennies de chicaneries juridiques, le terrain vendu pour payer le bâtiment devint le site Downing de l'Université, qui abrite des musées et des laboratoires. On y trouve le Musée d'archéologie et d'anthropologie, avec ses remarquables collections du monde entier, et, tout près, le Musée Sedgwick des sciences de la Terre qui renferme « Big Meg », reconstitution velue de la plus grosse araignée du monde (voir page 30). L'entrée du Musée de zoologie, situé de l'autre côté de la rue, est dominée par le squelette d'une énorme baleine.

L'origine des espèces

Bon nombre des spécimens du Musée de zoologie y furent envoyés par Charles Darwin, qui les collectionna lors de ses voyages à bord d'HMS *Beagle*. Darwin, étudiant à Christ's College, offusqua son ancien professeur Adam Sedgwick (dont la collection de fossiles se trouve au Musée Sedgwick) avec ses théories sur l'évolution.

Le Musée de zoologie, Downing Street

Free School Lane

C'est ici que se trouve l'entrée du Musée Whipple de l'histoire des sciences, avec sa collection d'instruments et de modèles de tous les siècles. C'est aussi dans cette ruelle que se situait le laboratoire Cavendish, où Ernest Rutherford travailla sur la structure de l'atome et où Cockcroft et Walton le fissionnèrent. James Watson et Francis Crick, deux des scientifiques qui découvrirent la structure en double hélice de l'ADN (le « secret de la vie »), y travaillèrent aussi. Le laboratoire fut transféré sur un campus en dehors de la ville en 1974.

The Eagle, Bene't Street

Bene't Street

The Eagle, pub où les soldats de l'armée de l'air griffonnèrent au plafond des messages (toujours visibles) avec leurs briquets, avant de partir au combat durant la Deuxième Guerre mondiale, est un lieu chargé d'histoire. Une plaque commémore les scientifiques qui découvrirent la structure de l'ADN au laboratoire Cavendish, tout près de là, en 1953. La petite église anglo-saxonne de St Bene't's est dotée du plus ancien clocher du comté (probablement construit en 1025) et c'est ici que Fabian Stedman, clerc de paroisse, perfectionna l'art du carillon.

St Edward's Passage

St Edward's Passage

Dans ce passage étroit et sinueux qui relie Peas Hill et King's Parade, vous découvrirez deux excellentes librairies, deux cafés agréables et une toute petite église entourée d'un jardin bien entretenu. L'église Saint Édouard, roi et martyr, est dédiée au roi saxon Édouard, qui n'avait que 15 ans quand il fut assassiné au château de Corfe en 987, soi-disant par sa belle-mère, Elfryda, mère d'Ethelred le Malavisé.

L'église St Bene't's

King's College

Ce collège, qui est le plus connu de Cambridge, fut fondé sous le nom de Collège Saint-Nicolas en 1441 – mais terminé des centaines d'années plus tard. Sa chapelle, érigée près de 200 ans avant le reste des bâtiments, est célèbre dans le monde entier pour la radiodiffusion annuelle, depuis 1928, de l'office de la veille de Noël.

La chapelle de King's College

Sa fondation

Henri VI, âgé de 19 ans en 1441, décida d'établir un petit collège, où 12 élèves d'Eton, autre établissement qu'il avait fondé, pourraient poursuivre leurs études. Il fit construire Old Court, avant d'envisager un projet plus ambitieux avec une magnifique chapelle. Une partie importante de la ville médiévale fut alors démolie. Vint ensuite la guerre des Deux-Roses puis la déposition d'Henri en 1461 – et le site resta largement inoccupé pendant près de 300 ans.

La chapelle de King's College

Sous les monarques qui suivirent, les travaux progressèrent lentement, jusqu'à un legs d'Henri VII, qui demanda que l'achèvement de la maçonnerie soit confié au maître maçon John Wastell. La magnifique voûte en éventail, qui est la plus vaste du monde, fut construite entre 1512 et 1515, sous la direction de Wastell. Chacun des bossages, tour à tour des roses Tudor et des herses, pèse une tonne. Henri VIII fit don du jubé en chêne sculpté qui sépare le chœur de l'avant-corps de la chapelle et les magnifiques vitraux, furent créés par des artisans anglais et flamands. Sur les longs côtés se trouvent des scènes de l'Ancien et du Nouveau Testaments, tandis que le vitrail est dépeint la Passion du Christ. Au-dessus de la porte sont sculptées les initiales enchevêtrées d'Henri et de sa deuxième épouse, Anne Boleyn.

Le chœur de la chapelle

Le cortège d'écoliers en haut-de-forme et vestes d'Eton que vous verrez peut-être entrer dans la chapelle, sont les choristes, élèves de la King's College School. Ils y rejoignent les 14 étudiants qui chantent également dans le chœur. Les horaires des offices sont affichés à l'entrée principale du collège.

La voûte en éventail

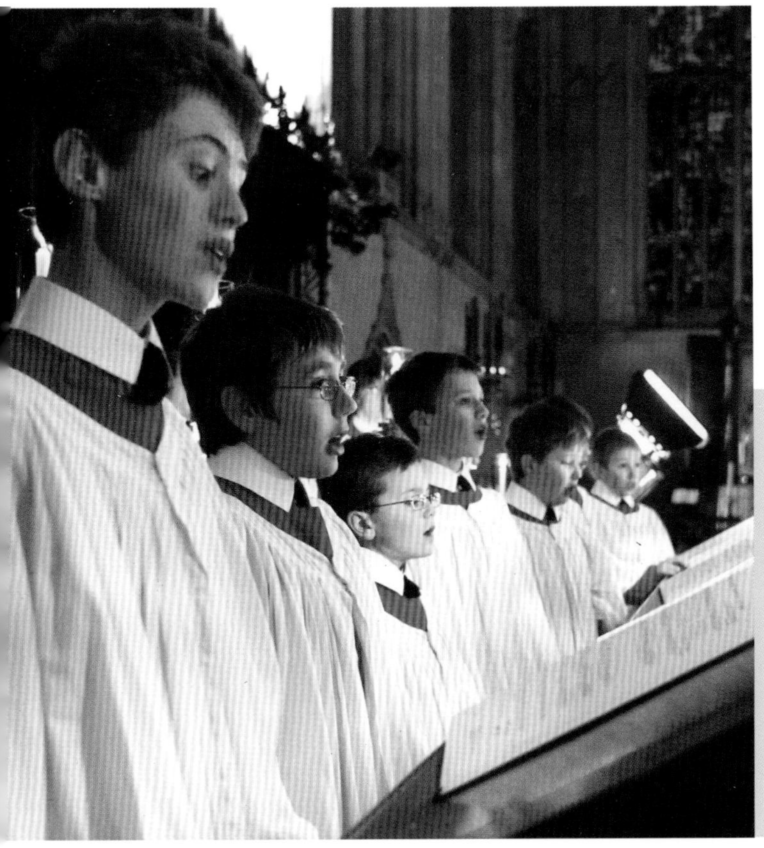

L'office de Noël

Noël à King's

La veille de Noël, les gens font la queue dès 5h30 du matin pour pouvoir assister au Festival of *Nine Lessons and Carols* à King's College Chapel. Cet office, célébré depuis 1918, fut radiodiffusé pour la première fois en 1928. Des millions de personnes l'écoutent chaque année dans le monde.

Double vue

Quand la magnifique peinture de Rubens *L'Adoration des Mages* (pour laquelle l'artiste aurait pris son fils nouveau-né comme modèle) fut donné à la chapelle par un particulier en 1961, le sol fut rabaissé pour que l'on puisse voir à la fois la peinture et le vitrail est.

Le collège

La splendide chapelle, achevée en 1536, demeura esseulée jusqu'à ce que soit amorcée la construction du Fellows' Building en 1724. Un siècle plus tard, William Wilkins dessina la rangée sud de bâtiments néogothiques comprenant le réfectoire, la bibliothèque, le mur de clôture en pierre et la porte monumentale. L' imposante fontaine surmontée de la statue d'Henri VI fut érigée dans Front Court en 1879.

L'université

« Où est l'université ? » demandent les touristes déconcertés devant les dizaines de bâtiments splendides se dressant de tous côtés. L'université est partout, ses salles de conférences, bibliothèques, laboratoires, musées et bureaux étant dispersés dans la ville. Les étudiants sont répartis dans 31 collèges.

Les collèges

Les étudiants suivent, dans leur collège, des cours en petits groupes appelés *supervisions*. Ces collèges autonomes sélectionnent leurs étudiants et sont responsables de leur bien-être. Dans la plupart des cas, le collège, dont les membres les plus haut placés s'occupent à la fois de l'enseignement et de l'administration et portent le titre de *Fellow*, est dirigé par un *Master*.

Fonctionnement

L'université, responsable des cours et des travaux pratiques, met ses installations à la disposition de tous les étudiants. Elle gère plus de 60 bibliothèques spécialisées, la bibliothèque principale de l'université et de nombreux autres locaux consacrés à l'enseignement et à la recherche, dont le Centre for Mathematical Sciences. L'université est propriétaire de dix musées, y compris le Fitzwilliam, et des Jardins botaniques (page 11).

Étudiants diplômés de Cambridge

Le Centre for Mathematical Sciences

Old Schools et Senate House

Old Schools, bâtiment situé près de King's College et en face de la grande église Great St Mary's, abrite le siège administratif de l'université. Quant à Senate House, c'est là que se décide la politique de l'université et que les étudiants reçoivent leurs diplômes, qui sont décernés par l'université et non pas par les collèges.

Comment tout a commencé

En 1209, arrivèrent à Cambridge quelques enseignants et étudiants à la recherche d'un lieu tranquille où étudier, ayant fui les émeutes à Oxford. À peine cinquante ans plus tard, on avait mis en place un Président honoraire, des statuts, une école structurée, des professeurs et des facultés de lettres et de théologie. En 1284 le premier collège, Peterhouse, fut fondé. En 1352, s'y étaient ajoutés Clare, Pembroke, Gonville and Caius (alors appelé Gonville), Trinity Hall et Corpus Christi, d'autres devant suivre peu après.

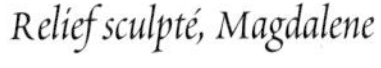

Relief sculpté, Magdalene

Trinity College

Les examens

Jusqu'à la fin du XVIIIe siècle, les examens se passaient oralement à Cambridge. Les étudiants débattaient un sujet avec un examinateur qui était assis sur un tabouret à trois pieds (*tripos*), d'où le nom de *tripos*, spécial à Cambridge, donné aux partiels écrits.

Ce qu'on enseignait

La plupart des collèges étaient au départ des écoles de théologie, mais au milieu du XVIIIe siècle, sous l'influence de Sir Isaac Newton, on se tourna vers les mathématiques. Newton, qui fit ses études à Trinity, fut Professeur lucasien de mathématiques à Cambridge pendant 33 ans. Au XIXe siècle, on introduisit les lettres classiques, les sciences naturelles et l'ingénierie. Aujourd'hui, plus de 40 disciplines sont proposées.

La vie estudiantine

Les étudiants vivent et étudient dans des bâtiments historiques, mais la vie universitaire est plus détendue qu'elle ne l'était. Les étudiants sont libres d'aller et de venir à toutes heures et ne sont plus tenus de porter leur toge lorsqu'ils sortent en ville.

Bridge Street

Bridge Street

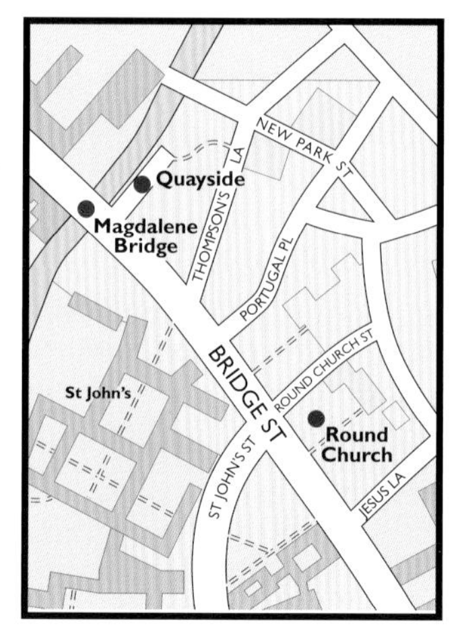

La majeure partie de ce qui subsiste du Cambridge du XVIe siècle se trouve dans cette rue, où les étages supérieurs des maisons à colombage font saillie. Lorsqu'on fait des travaux dans la rue, on retrouve souvent ici de vieilles poutres posées par les Romains pour traverser cette zone jadis marécageuse.

L'église ronde (Round Church)

Cette église romane inhabituelle est la plus ancienne d'une série de quatre construites en Angleterre dans le style de l'église du Saint-Sépulcre de Jérusalem, dont elle porte officiellement le nom, bien qu'elle soit surnommée « Église ronde ». Elle fut construite après la première croisade, en 1130, pour que les passants puissent s'y arrêter et prier pour les croisés. On n'y célèbre plus d'offices, mais Christian Heritage Cambridge y tient une permanence tous les jours.

Magdalene Bridge et Quayside

Les Romains s'établirent au nord de la rivière (page 24), franchissant la Cam ici en bordure du marécage. Le premier pont, Great Bridge, construit vers 750, fut remplacé plusieurs fois, l'actuel Magdalene Bridge datant de 1823. Cambridge fut jadis un port prospère commerçant avec l'Europe continentale, et c'est ici que les navires marchands chargeaient et déchargeaient leur cargaison. En amont, vous verrez sur la gauche des bâtiments modernes appartenant à St John's College, tandis que sur la droite se trouvent un point de location de *punts* et Quayside, ensemble d'appartements, de magasins et de restaurants.

L'église ronde

Punting

Mill Pool

Le pont Clare Bridge

Lorsque la rivière était sale et encombrée de péniches marchandes, personne ne pensait à faire du canotage. Aujourd'hui propre et relativement déserte, la Cam est un lieu de détente idéal.

Des bateaux fonctionnels

Conçues au départ pour les chasseurs de gibier à plumes et la récolte des roseaux, les *punts* (barques à fond plat) furent plus tard adoptées comme embarcations de plaisance. Bon nombre de collèges disposant de leurs propres *punts*, les étudiants ont la possibilité d'apprendre à manier ces embarcations avec aise.

Essayez !

Vous pouvez louer une punt à Mill Lane, Quayside ou Garret Hostel Bridge.

Le style de Cambridge

À Oxford, où l'on fait aussi du *punting*, on se tient debout dans la barque, à l'arrière. À Cambridge, où le style d'Oxford est jugé incorrect, les *punts* comportent des plateformes spéciales. Si vous avez peur de paraître ridicule ou, pire encore, de faire un plongeon, rassurez-vous, peu de gens savent faire.

Voici comment faire

Retirez complètement la perche de l'eau avant de la laisser redescendre verticalement et par côté près de la barque, jusqu'à ce qu'elle touche le fond de la rivière. Inclinez-la légèrement vers l'avant et poussez fermement, en remontant les mains tour à tour le long de la perche. Pendant que la *punt* avance, dégagez la perche d'un tour de poignet et laissez-la remonter à la surface, en l'utilisant pour diriger la barque.

Magdalene Street

Cette rue médiévale est bordée de bâtiments historiques, dont la plupart abritent des boutiques, des restaurants et des pubs. Les anciennes façades furent repeintes en 2006 dans des tons doux de vert, pêche, orange et turquoise qui donnent une certaine unité aux maisons anciennes situées en face de Magdalene College.

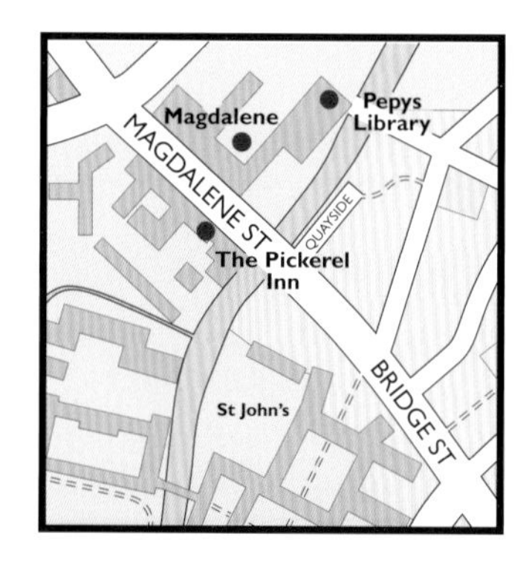

The Pickerel Inn

Ce pub, fréquenté tant par la population locale que par les touristes, fut jadis un éta-blissement peu reluisant, ayant abrité une importante maison close, une fumerie d'opium, un bar et un relais.

The Pickerel Inn

Magdalene Street

Machisme

Magdalene fut le dernier collège de Cambridge à accepter les femmes. Ce jour-là, en 1988, les hommes portèrent des brassards noirs et mirent le drapeau en berne.

Magdalene College

Le nom de ce collège du XVe siècle se prononce « maudline ». Situé à l'écart des principaux autres collèges, Magdalene est considéré, par certains, un peu plus sélect. Au réfectoire on dîne aux chandelles et au bal du collège, en juin, les étudiants portent encore la queue de pie et le nœud papillon blanc. Le règlement du collège, à l'origine un foyer de moines fondé en 1428, précisait alors que ses étudiants ne devaient pas fréquenter les tavernes aussi souvent que les autres. Il fut rebaptisé Collège Sainte Marie-Madeleine en 1542, lors de sa refondation par le grand chancelier d'Henri VIII, le Baron Audley of Walden. Ses descendants conservent encore le droit de sélectionner les *Masters*.

Magdalene College

La bibliothèque de Pepys

Samuel Pepys, qui fit des études à Magdalene de 1651 à 1654, légua au collège sa riche bibliothèque. Les 3 000 volumes qu'elle renfermait devaient d'abord revenir à son neveu, puis à Magdalene. Le chroniqueur stipula que sa collection de livres devait rester intacte. Elle fut installée dans l'actuel Pepys Building en 1724. Vous remarquerez l'inscription « Bibliotheca Pepysiana 1724 » au-dessus de l'arcade centrale de l'entrée. Les volumes, y compris une collection importante de documents officiels de l'Office de la Marine et de l'Amirauté, sont conservés dans le bureau du chroniqueur et dans 12 bibliothèques en chêne rouge.

Myopie

Les six volumes du *Journal* de Pepys renferment 1 250 000 mots et couvrent presque neuf ans et demi. Ils sont écrits dans un code sténographique inventé par Thomas Shelton. Le pasteur John Smith de St John's College passa trois ans à déchiffrer ces gribouillis, pour découvrir par la suite que l'explication se trouvait sur l'un des rayons de la bibliothèque.

Kettle's Yard et le Folk Museum

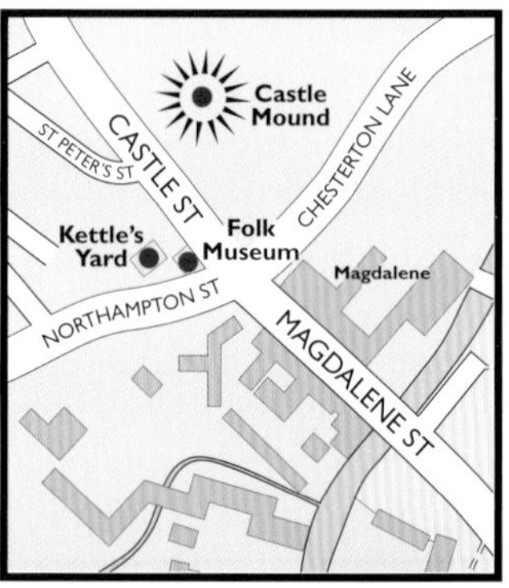

Les Romains choisirent de s'établir sur cette butte, située juste au nord de la rivière, et les Normands y construisirent un château deux ans après leur conquête de la Grande-Bretagne. Bien que la partie principale de la ville se soit développée plus au sud, vous trouverez dans ce quartier deux excellents musées.

Castle Mound

Deux châteaux furent en fait construits sur cette butte verdoyante, mais il ne reste aujourd'hui pratiquement rien ni de l'un, ni de l'autre. Le donjon à motte érigé par Guillaume le Conquérant en 1068, qui tint lieu de château et de prison pendant 200 ans, fut reconstruit en pierre par Édouard Ier. On pilla les pierres pour construire les collèges et ce qui restait du château fut démoli en 1842.

Castle Mound

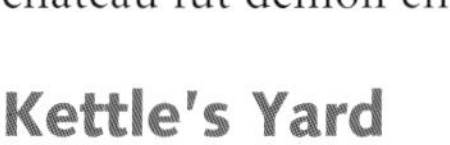

Kettle's Yard

Ce cottage, qui est beaucoup plus grand qu'il n'y paraît de l'extérieur, abrite une collection extraordinaire d'objets d'art qui sont exposés de manière originale. Frappez et vous serez invités à entrer dans le petit vestibule de la maison où vécurent Jim Ede, conservateur de la Tate Gallery, et son épouse, Helen, tous deux décédés. Ede savait reconnaître les artistes de grand talent et les encourageait. Malgré ses revenus modiques, il acheta (et il reçut parfois en cadeau) des œuvres de jeunes artistes qui devinrent de grands peintres et sculpteurs du début du XXe siècle.

L'art à Kettle's Yard

Rien n'est étiqueté et vous pouvez vous asseoir pour regarder les nombreux tableaux accrochés à des endroits extraordinaires, ou admirer les œuvres de Lucy Rie, Constantin Brancusi, Barbara Hepworth et Bernard Leach posées sur les meubles. Vous êtes libres d'entrer dans les chambres et la salle de bains, aussi décorées de tableaux. La mansarde est réservée aux dessins d'Henri Gaudier-Brzeska et au rez-de-chaussée vous découvrirez des peintures de Ben et Winifred Nicholson, d'Alfred Wallis et de David Jones. À côté, se trouve Kettle's Yard Gallery, bâtiment moderne où sont organisés des expositions temporaires, des concerts et des conférences.

Kettle's Yard

Le Folk Museum

Cambridge and County Folk Museum

Pendant 300 ans le White Horse Inn servit des bières de qualité aux gens de la ville. Aujourd'hui, l'ancien bâtiment à colombages de Castle Street abrite un musée des traditions populaires. En 1935, des habitants de Cambridge, préoccupés par l'évolution rapide de leur mode de vie, se mirent à collectionner les objets dans l'intention de créer un musée. Florence Ada Keynes, écrivain à succès et réformatrice, qui fut l'une des premières femmes à entrer à Newnham College et la mère de l'économiste John Maynard Keynes, participa à la gestion du musée jusqu'à sa mort, en 1958, à l'âge de 96 ans. La collection compte aujourd'hui plus de 30 000 objets, photos et documents, et le musée organise des ateliers, des activités pour enfants et des cours pour adultes.

Jesus Green

Cet espace vert, bordé au nord par la rivière Cam et doté d'une imposante avenue de platanes à feuilles d'érable vieux d'un siècle, est l'un des trésors cachés et très appréciés de Cambridge.

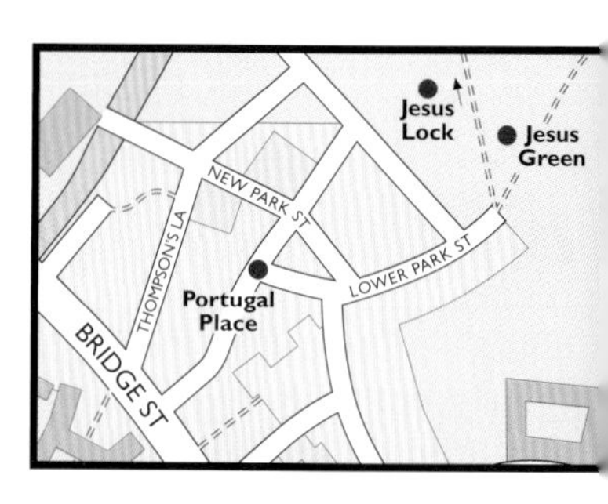

Portugal Place

Cambridge abritait jadis de nombreuses petites rues comme celle-ci, qui est bien préservée et bordée de maisons des XVIIIe et XIXe siècles. À l'époque où les navires marchands s'amarraient tout près, de grandes quantités de porto étaient déchargées et livrées aux collèges – d'où le nom de la rue.

Jesus Green

C'est dans ce grand parc situé en bordure de la rivière et derrière Jesus College que les citadins viennent l'été jouer au tennis ou nager dans l'une des rares piscines en plein air qui subsistent en Angleterre. Vous pouvez y pique-niquer au bord de l'eau et savourer la tranquillité. La piscine, fut construite il y a 84 ans. Masquée et ombragée par de hauts arbres, c'est la plus longue du pays.

Jesus Lock

Cette écluse, construite en 1836, est la seule sur la Cam. Vous verrez, amarrés là, des péniches et bateaux de plaisance. Une passerelle vous permet de traverser la rivière.

Jesus College

Portugal Place

Jargon de Cambridge

La rivière Granta est aujourd'hui un affluent de la Cam, mais jadis ce nom s'appliquait à la rivière tout entière. Personne ne sait exactement quand elle changea de nom, mais le mot « Granta » est très répandu à Cambridge.

St Andrew's Street

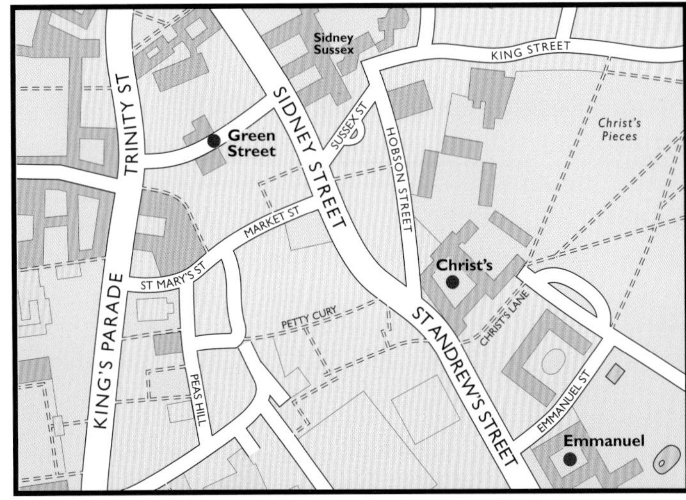

Trois collèges se situent sur le côté nord de cette rue commerçante animée. Christ's et Emmanuel sont dotés de magnifiques jardins et c'est à Sidney Sussex College qu'Oliver Cromwell fit des études un peu plus dunan, en 1616 –1617 ; sa tête est enterrée dans la chapelle.

Christ's College

Christ's College

La « Maison de Dieu », petit collège fondé pour former les enseignants, fut démoli pour permettre la construction de King's College. Lady Margaret Beaufort, la mère d'Henri VII, fut persuadée d'en financer un nouveau dédié à Jésus Christ, ce qui explique la présence, sur la porte, de son blason et des centicores observés à St John's, qu'elle fonda également. Le Fellows'Garden, du XIXe siècle, renferme des ruches, un bassin où l'on peut se baigner et un mûrier à l'ombre duquel John Milton écrivait des poèmes.

Emmanuel College

John Harvard, qui émigra en Amérique et fit un legs pour en fonder la première université, fit ses études ici. Une plaque, dessinée par Christopher Wren, a été placée dans la chapelle à sa mémoire. Le splendide parc qui entoure Emmanuel College est agrémenté d'un jardin de plantes aromatiques, d'un bassin et de platebandes bien entretenues.

Green Street

Cette rue étroite, qui porte le nom de l'ancien propriétaire du terrain, abrite de nombreuses boutiques indépendantes et insolites.

Green Street

Une vie animée

Cambridge est une petite ville dont le caractère distinctif est né de l'association étroite entre l'université et la ville. Des rues commerçantes séparent les collèges historiques, tandis qu'étudiants, résidents et touristes prennent tous plaisir à canoter sur la Cam. Bien des cérémonies universitaires font aujourd'hui partie de la vie à Cambridge. Vous pourrez obtenir des informations à jour et complètes à l'Office du tourisme (voir page 30).

Les bumps

Lors des *bumps*, les équipes s'alignent le long de la ri-vière, laissant entre elles une distance d'une barque et demie. Au signal du départ, chacune remonte la rivière en tentant de rattraper la précédente. Lorsqu'une équipe est touchée par celle qui la poursuit, elles sortent toutes deux de la course. Le lendemain, les équipes touchées changent de place et la course reprend. Les premières équipes visent le titre de « Tête de la rivière ».

Les bumps de l'université

Courses d'aviron

Des courses d'aviron opposant les collèges et portant le nom de *bumps* ont lieu en mars (*Lent Bumps*), en juin (*May Bumps*) et en juillet (*City Bumps*). La course annuelle contre l'autre haut lieu du savoir, Oxford, se déroule sur la Tamise à Londres autour de Pâques. Cambridge initia, en 1829, la première compétition, qui fut remportée par l'équipe d'Oxford.

RAG

Si vous voyez des étu-diants courir dans les rues en pyjamas ou les menottes aux poignets, ne soyez pas surpris ! Ils organisent chaque année à Cambridge des activités pour une collecte de fonds appelée RAG (« raising and giving »), recueillant dans la semaine plus de 165 000 livres pour des œuvres caritatives.

Les fêtes

La plus ancienne manifestation annuelle est une importante fête foraine (Midsummer Fair), qui se tient en juin à Midsummer Common depuis 800 ans. La Fête de la bière qui a lieu en mai à Jesus Green attire aussi beaucoup de monde. On y monte des tentes, des stands et des étals, mais la plupart des pubs y participent également. La Semaine nationale des sciences, en mars, occasionne de nombreuses manifestations. Organisées par l'université, elles attirent aussi un nombre immense d'habitants. Juillet est le mois du célèbre Festival folk de Cambridge, qui se déroule à Cherry Hinton Hall, au sud de la ville. Des chanteurs et musiciens du monde entier se produisent devant un public toujours plus nombreux.

Le Cambridge Folk Festival

Les May Balls

En mai et juin, période des examens, les heures d'ouverture des collèges sont souvent limitées. Mi-juin, les cours et jardins de la plupart des collèges sont somptueusement transformés, et les étudiants qui ont passé leurs derniers examens se préparent pour la soirée tant attendue. Manèges, bars à champagne, pistes de danse, pavillons et chapiteaux sont érigés. On danse et on s'amuse jusqu'au petit matin, la tradition voulant que la fête se termine par le petit-déjeuner à Grantchester, où l'on se rend en *punt*. Ce qui est déconcertant c'est que les *May Balls* (tout comme les *May Bumps*) ont en fait lieu en juin.

Des étudiants de retour d'un May Ball

Informations pratiques

Office du Tourisme
The Old Library,
Wheeler Street,
Cambridge CB2 3QB
Tél. : +44 (0)871 226 8006
www.visitcambridge.org

Shopmobility
Prêt de fauteuils roulants et de scooters électriques aux personnes à mobilité réduite. Veuillez téléphoner pour réserver.
Niveau 5, Lion Yard Car Park
Tél. : +44 (0)1223 457452
Niveau 4, Grafton Centre East Car Park
Tél. : +44 (0)1223 461858

Visites et excursions

Pour tous renseignements sur les visites et excursions suivantes, et bien d'autres encore, prière de s'adresser à l'Office du tourisme.

Les Guides Blue Badge proposent tous les jours des visites guidées au départ de l'Office du tourisme. Des visites à thème sont également organisées et il est possible de réserver un guide particulier.

Des visites hantées ont lieu régulièrement le vendredi soir.

Des *punts* (voir page 21) peuvent être louées à Mill Lane, Quayside et Garret Hostel Bridge.

Vous pouvez aussi visiter la ville en bus à impériale découverte et monter à bord à n'importe quel arrêt sur le trajet. Les tickets s'achètent dans le bus ou à l'Office du tourisme.

Musées

Botanic Garden (Jardins botaniques)
+44 (0)1223 336265, www.botanic.cam.ac.uk

Cambridge and County Folk Museum
+44 (0)1223 355159,
www.folkmuseum.org.uk

Fitzwilliam Museum +44 (0)1223 332900,
www.fitzmuseum.cam.ac.uk

Kettle's Yard
+44 (0)1223 352124, www.kettlesyard.co.uk

Musée d'archéologie antique
+44 (0)1223 335153, www.classics.cam.ac.uk

Musée d'archéologie et d'anthropologie
+44 (0)1223 333516,
www.archanth.cam.ac.uk

Musée de zoologie
+44 (0)1223 336650, www.zoo.cam.ac.uk

Musée Whipple de l'histoire des sciences
+44 (0)1223 334500, www.hps.cam.ac.uk

Scott Polar Research Institute
+44 (0)1223 336555, www.spri.cam.ac.uk

Sedgwick Museum +44 (0)1223 333456,
www.sedgwickmuseum.org

Big Meg, Sedgwick Museum

Le Cambridge and County Folk Museum

Index des lieux

Clare College

Le Fitzwilliam Museum

Trinity College

Première de couverture : Jesus College
Dernière de couverture : Le Musée d'archéologie et d'anthropologie

Remerciements
Photographies de Neil Jinkerson © Pitkin Publishing. Autres photographies avec l'aimable permission de : Alamy : 17hd (Konrad Zelazowski), 18h (aslphoto), 28 (Patrick Ward), 29b (Brian Harris) ; Cambridge & County Folk Museum : 25b ; Le Principal et les Étudiants de King's College Cambridge: 17b ; Rex Features : 17g, 29h (Geoff Robinson) ; Sedgwick Museum : 30cd.

Les éditeurs souhaitent remercier Frankie Magee (Office du tourisme) et Cheryl Cahillane (Chapelle de King's College) pour leur aide lors de la préparation de ce guide.

Rédigé par Annie Bullen ; l'auteur a déclaré ses droits légaux.
Révisé par Angela Royston.
Mise en page : Simon Borrough.
Recherche iconographique supplémentaire : Jan Kean.
Plans de The Map Studio, Romsey, Hants, Royaume-Uni ; plans basés sur la cartographie de © George Philip Ltd.
Traduit par Françoise Barber pour First Edition Translations Ltd., Cambridge, Royaume-Uni.

Publié sous cette forme par © Pitkin Publishing 2009, dernière réimpression 2014.

Imprimé au Grande Bretagne.
ISBN 978-1-84165-233-7 4/14

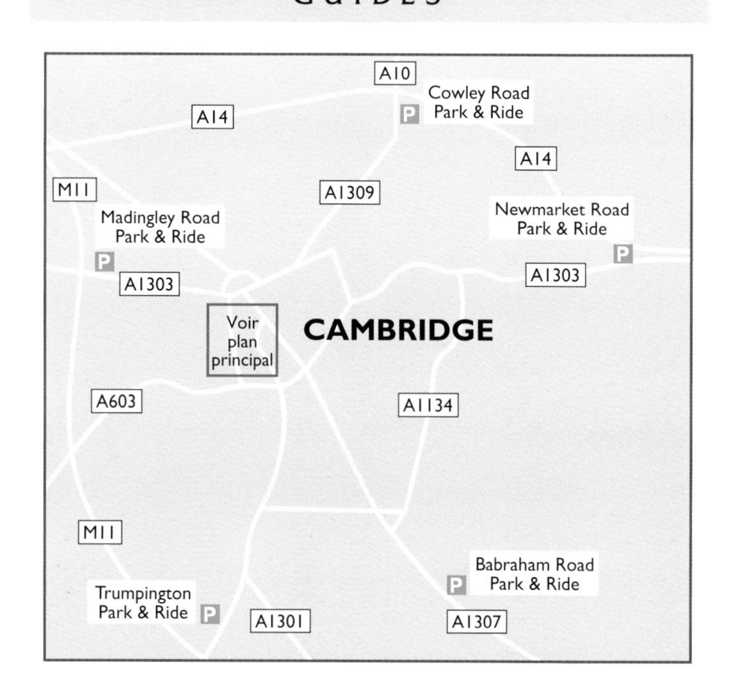